D1108556

* On avait décidé de partir.

*Malheureusement, c'était devenu presque impossible.

* La seule personne qu'on avait trouvée c'était cette femme qui était bien connue dans notre patelin.

* Elle avait des connaissances.

* C'était une "affairiste", comme elle disait.

* On avait entendu parler d'elle car elle avait déjà aidé pas mal de gens à avoir des papiers.

*On avait vendu tout ce qu'on avait, on avait emprunté de l'argent à des amis, à la famille...

*Et j'étais allé la voir.

* Vous voulez partir, vous avez raison, votre place n'est pas ici.

* Je veux partir seul d'abord pour tâter le terrain et faire venir ma famille après !

** Ne vous en faites pas, j'ai des connaissances...

* Cela ne va pas être facile, certes, mais ça va bien se passer. Il faut payer 12000 en liquide par personne. Ce sont des connaissances haut placées...

** C'est trop cher !

* Même pour un acte de naissance, on donne un bakchich, il y a quelqu'un qui viendra te prendre à l'aéroport dès que tu arriveras, la personne te reconnaîtra aux habits qu'on va te donner.

** Encore 2000...

* Tu lui remettras tes papiers, et en échange il te donnera une adresse pour te loger, le temps pour toi de voir venir...

* On t'appellera bientôt, tiens-toi prêt.

* Un mois plus tard je prenais l'avion avec un faux passeport et un visa touristique pour une vie meilleure.

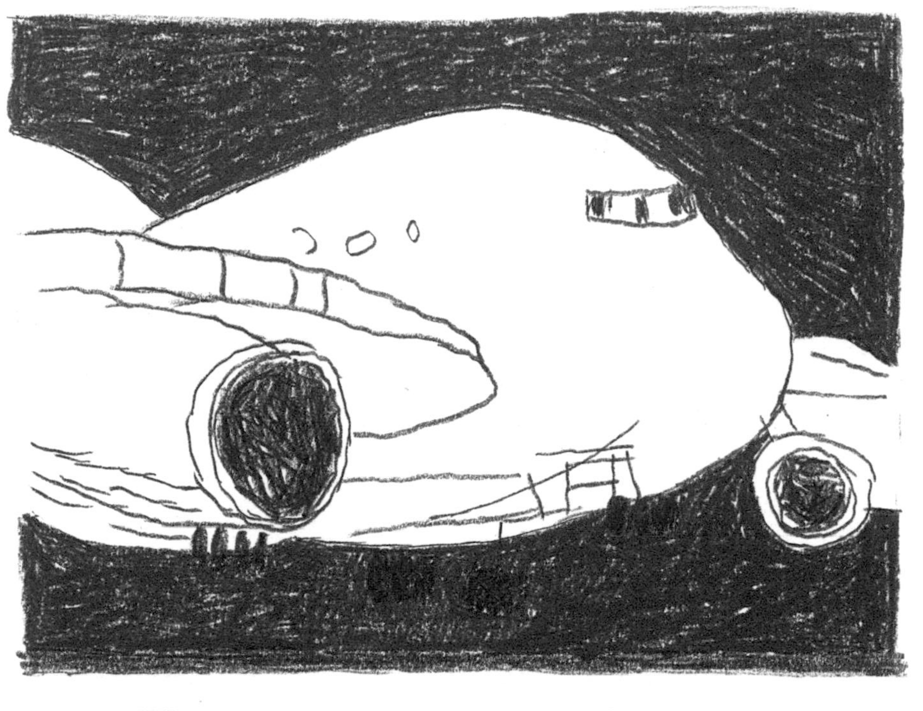

Où se trouve Oz ? « Somewhere, over the rainbow »
quelque part au-delà de l'arc-en-ciel.
Le Magicien d'Oz.

L'étrange

« Je suis un libéral, au sens où je crois à la liberté.
Mais je suis également un humaniste, au sens où
je crois que la production de richesse doit avoir un sens,
que la morale ça compte, que la spiritualité ça
existe, que l'homme a une destinée et qu'on ne fait
pas n'importe quoi avec l'homme, qui n'est pas
une marchandise comme les autres. »

La corneille:

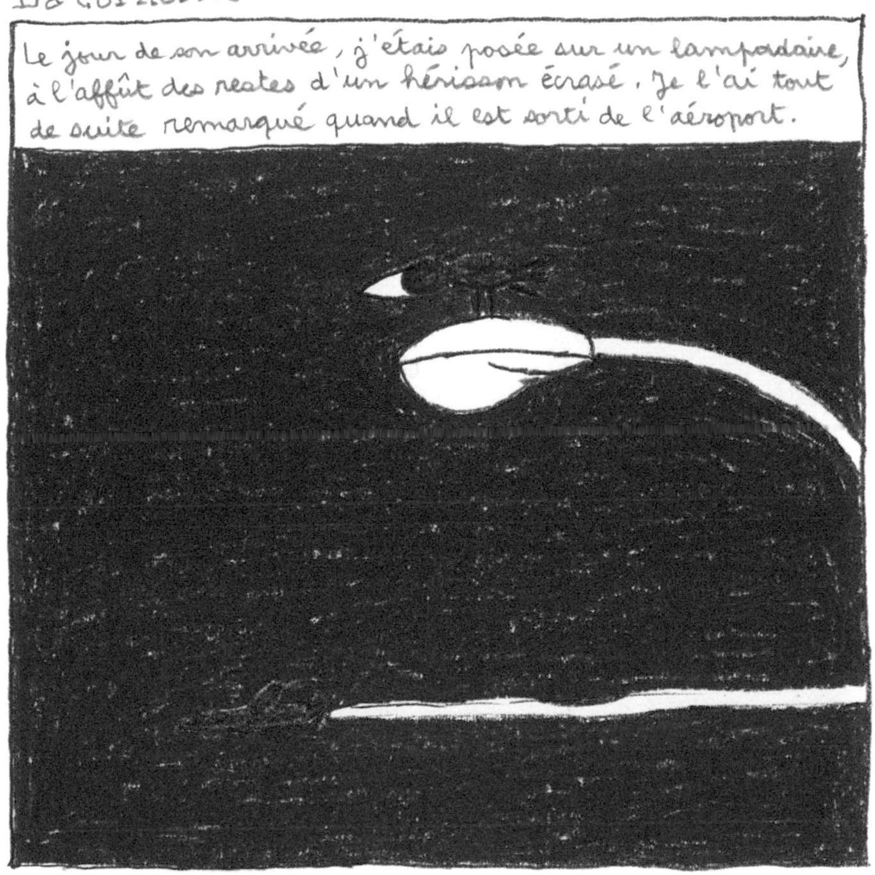

Le jour de son arrivée, j'étais posée sur un lampadaire, à l'affût des restes d'un hérisson écrasé. Je l'ai tout de suite remarqué quand il est sorti de l'aéroport.

Un autre l'attendait.

Ils ont commencé à discuter.

Mais il râlait...

Et ils sont partis à pied, je les ai suivis.
Il m'intriguait.
Ils sont allés à l'arrêt d'autobus.
Il était encore énervé,
...et je sentais qu'il avait peur.

Quand le bus est arrivé, il est monté, et moi, je me suis envolée vers la ville pour rejoindre mes congénères...
Craille Craille

Le passager du bus :

Je l'ai tout de suite remarqué quand il est monté.
Faut dire qu'il passait pas inaperçu.

Et puis avec son gros manteau on voyait bien qu'il n'était pas de chez nous.

Il s'est assis à côté de moi,

... et aussitôt le bus a démarré.

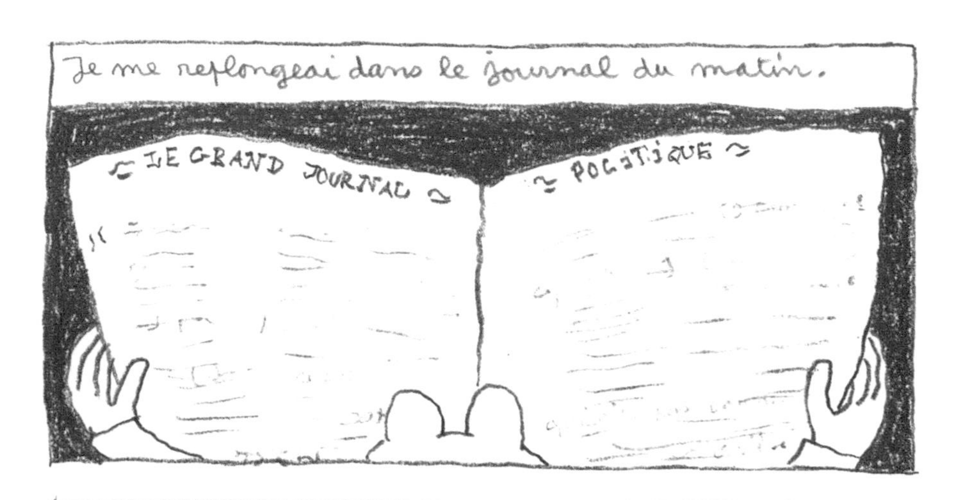

Je me replongeai dans le journal du matin.

C'était un résumé du dernier meeting du candidat à la présidence : « on ne fait pas n'importe quoi avec l'homme, qui n'est pas une marchandise comme les autres », disait-il, non mais quel con !

Puis il m'a parlé dans une langue que je ne comprenais pas.

C'était un étrange.
Euh

Il m'a montré un petit bout de papier.

Il y avait une adresse notée dessus.

C'était dans la ville où nous nous rendions.

Je lui ai rendu le papier, je ne connaissais pas l'adresse.
Désolé.

Nous ne nous sommes plus parlé jusqu'au terminus du bus.

Il est descendu derrière moi,

... son petit papier
toujours à la main.
Vous savez où aller?

Je ne connais pas l'adresse...

Attendez !

Hé, monsieur l'agent !

Hé, monsieur l'agent !
?

J'ai ... mais où est-il passé ?

Mon voisin avait disparu. Je ne l'ai plus jamais revu.
!?
Mm...

Le chauffeur de taxi:

Il est monté dans mon taxi près de la gare routière.

Il m'a montré une adresse. C'était dans le haut quartier.

Ils ne vivent pas comme nous.
Vous devez avoir chaud avec votre gros manteau ...

Bon, j'mets la radio, hein ?

... Comment pourrions-nous éprouver de la fierté, si pour le monde entier notre pays est
...

... un pays où l'on ne peut pas prendre les transports...

... en commun sans se faire détrousser !

Vous vous souvenez de madame Cremel ? Cette jeune femme assassinée à coups de bâton sur la tête ?

Parce que, pour...
CLIC !

Bon, vous êtes arrivé... Et pas d'entourloupe, hein, je vous ai à l'oeil !

Il m'a donné un gros billet de 50, c'est classique avec les étrangers.
Euh, attendez, la monnaie...

La corneille:

Quand je suis arrivée en ville, je pensais toujours à lui. Je savais où le trouver; le haut quartier, le quartier des étranges.

Je me suis posée et j'ai attendu.

Guetter, j'ai l'habitude.

Il est descendu d'un taxi.
TAXI

Son petit bout de papier à la main.

Je l'ai suivi.

Même ici, il ne passait pas inaperçu.

Il a regardé son papier une dernière fois...
Et je l'ai perdu de vue.

J'ai attendu. J'ai la patience et la vue fine de l'oiseau de proie.

Puis il est sorti sur un des petits balcons.

Il avait moins peur, je le sentais.

Il pensait qu'il avait fait le plus dur,

... qu'il avait réussi.

En réalité, c'est une autre vie qui commençait, mais pas forcément celle dont il avait rêvé.

C'est à cet instant que je me suis attachée à lui.
Craille, craille

« On ira les chercher un par un. »

L'intermédiaire:

Je lui ai fait visiter le logement, c'était un petit T2.

Un T1, en fait, parce que dans l'autre chambre,

... la propriétaire achetait, ou volait, je ne sais pas,

... de grosses machines qu'elle laissait là ...

... il y avait même un aquarium !

Il dormirait presque par terre, il n'y avait qu'une petite pièce et une cuisine.

Le fait de louer un logement à un immigrant clandestin, ou de l'héberger...

...était désormais passible de trois ans d'emprisonnement.

Il fallait faire très attention.

Lui, il payait 500 par mois, mais elle, elle payait 20, ça je l'ai appris par la suite. 500 à convertir, c'était beaucoup pour lui, c'était le travail de plusieurs mois.

Ça ne devait durer que quelques mois, juste le temps qu'il s'installe.

Je l'ai laissé en lui disant que je passais tous les débuts de mois pour le loyer des appartements.

Le poisson :

C'est lui qui s'installe ici,

... qui va nous nourrir,

... et qui va s'occuper de nous.

Puis il est sorti.

Certains affirment que nous n'avons que trois secondes de mémoire. Si c'est vrai, alors lorsqu'il rentrera dans l'appartement, je l'aurai déjà oublié.

Bernard:

Colère, honte, détresse, on ne sait pas quel sentiment l'emporte. Depuis mardi, nous nous réunissons tous les soirs de 18 heures à 19 heures devant la mairie.
Vous voulez signer la pétition? C'est pour dire que...
LIBÉ
FAT
LIBÉ
FATOU

Avec le Réseau, et bien d'autres associations, on déploie des banderoles, on distribue des tracts, et on propose des pétitions à signer.

Deux voitures de police sont arrivées.

Ils ont demandé ce qui se passait...

Ils sont allés voir Fabrice, le compagnon de Fatou...
LIBÉREZ FATOU

Je leur ai expliqué.
On sensibilise les habitants sur la situation d'une étrange...

Ils étaient au courant, on n'était pas en train de jouer au tennis.

C'est pas nouveau, en période difficile, on cherche à détourner l'attention en prenant les étranges comme boucs émissaires.
...elle est passée avec un habitant du quartier et elle a été arrêtée lundi dernier à son domicile et placée en centre de rétention.

Il n'y a qu'à regarder la télé, on nous dit qu'il y a 77% de gens qui sont d'accord avec la politique actuelle de reconduite aux frontières!
Pourquoi un tel acharnement à disloquer cette famille?

Les expulsions d'étranges se multiplient, comme dans de nombreux autres départements, surtout depuis l'arrivée il y a un an d'un nouveau préfet prié de tenir les quotas.
Monsieur le Préfet se distingue par son inhumanité et le refus de respecter les simples droits des étranges !

Au rythme où il va, les quotas seront atteints et certainement dépassés, il aura bien mérité de son maître ! Ça nous rappelle les rafles, du temps où on voulait mettre tous les étranges dehors !

La commissaire est remontée dans la voiture, elle a dû téléphoner au Préfet pour dire qu'il y avait du remue-ménage.

Les policiers ont pris des noms, on a fait la photo pour le journal, ils ont repris des noms. Puis ils sont remontés dans les voitures et ils sont partis.

Lui aussi était parti, je ne pensais pas qu'on l'aurait bientôt sous notre protection.
LIBÉREZ FATOU

Un passant :

Je l'ai vu arriver de loin, il marchait du côté du mur; de sorte qu'on ne le voie pas trop ...
Mais on ne voyait que lui.

Il se retournait sans cesse comme s'il craignait un contrôle.
ATTENTION !

Quel chauffard !

Vous n'êtes pas blessé ?

c'était un étrange, j'aurais dû le deviner !
Attention, hein

Et il a disparu dans la circulation.
Qu'est-ce que c'était?
Rien, madame la commissaire.

Le major:

C'était la deuxième fois que je le voyais.
Dites, major ?

Ce n'était pas lui qui était à la manifestation ?
Oui, madame la commissaire.

C'était bien lui.

Je commençais à en avoir vraiment marre de ce boulot.
Vous avez pris son nom, major ?

On ne nous demandait plus d'avoir un comportement de policier,
Non, madame.

mais un comportement de commercial,
Il avait disparu.

à savoir qu'on nous demandait d'interpeller tout et n'importe quoi.
C'est dommage, major. Mais je pense que nous le reverrons bientôt.

On nous harcelait pour obtenir nos quotas d'expulsions, on arrêtait des personnes parce qu'elles avaient le tort de se trouver dans des endroits fréquentés par des étranges.
Je ne passe pas inaperçu.

Il y avait trop d'étranges dans la cité. Qui décidait que c'était trop ? Par rapport à quels critères ? J'en avais vraiment marre.
FOMUC
Vous savez major, les habitants ont peur quand ils voient des hordes venir se battre dans leur quartier.
Oui, madame la commissaire.

« Et c'est pour eux aussi, cette majorité silencieuse, qui n'a pas les moyens de se mettre en grève et qui n'a pas les moyens de manifester ou qui a la volonté de privilégier son travail. C'est aussi à eux que je dois penser et pour eux que je dois agir. »

La voisine:

Il y en a encore un qui vient d'arriver, il a emménagé il y a cinq semaines dans l'appartement voisin du mien.
Clic clac

On n'est plus chez nous avec tous ces étranges,

trop d'allées et venues, trop de saleté, trop de peur...

On me vole régulièrement du linge qui sèche sur mon balcon,

et madame Pichot dit qu'on lui a volé de la nourriture jusque dans son congélateur!

Beaucoup d'étranges sont illégaux...
Quel mal y a-t-il à les dénoncer?
La loi l'autorise.
Grmm
Ils l'ont dit à la radio.
Il parle même pas notre langue !
N'importe quel citoyen peut le faire...
Bientôt il fera venir sa famille !

Il faut du courage.
Ils ne sont là que pour empoisonner la vie des honnêtes gens...

Kader:

Après deux heures d'attente, on nous a entassés à vingt les uns sur les autres, en équilibre instable sur la benne arrière du camion.
Allez, les gars, dépêchez-vous !
On monte tous là-dedans ?
Y'a pas la place
On est combien ?
TOYOTA

J'avais peur de tomber.
Les autres aussi.
Attention
Pousse pas

Nos jambent pendaient à l'extérieur.

Lui, personne n'osait le pousser ou le frapper pour prendre sa place.
Je me suis débrouillé pour m'asseoir à côté de lui.

Les autres ont pensé qu'on était ensemble et ils m'ont laissé tranquille.

Le camion nous a emmenés à l'écart de la ville...
5H50

... jusqu'au nouveau chantier.
C'est ici?
C'est le chantier?
Putain, c'est haut!

Une journée de travail c'est plutôt entre 50 et 80, mais parfois seulement 30.

Normalement un manoeuvre c'est 140.

Eh... y'a une voiture qui arrive.

Merde, c'est un contrôleur !

Les entreprises sont souvent contrôlées.
Vite, on se barre !

Dépêchez-vous, aux échelles !

Quand il y a des contrôles, on va tous se planquer sur le toit.
Allez, magne-toi !
Ils arrivent.

Viens, on va attendre là-bas.

Je ne sais pas pourquoi mais les toits des bâtiments ne sont jamais vérifiés.

Le patron:

Moi, je cherchais en permanence des ouvriers parce que quand j'en trouvais, ils travaillaient deux jours, trois jours, mais rarement plus...

Allez, les gars, traînez pas...

Mais avec lui j'étais content parce que même sans papiers, il avait toujours travaillé. Il est resté plusieurs mois et il travaillait bien, donc j'étais content, très content.
Allez, on y va.

La fille du foyer:

J'habitais dans un foyer pour jeunes étranges, et le 14 décembre on se rassemblait tous pour se donner des petits cadeaux...

... et après on faisait une super teuf!

Je ne le connaissais pas, mais je savais par Kader qui l'avait invité, qu'on venait du même pays, il me plaisait bien, parce qu'il me rappelait les hommes de chez moi...

!!

La cellule familiale ici et au pays, ça n'a rien à voir, chez nous une cousine c'est une soeur, un cousin c'est un frère,

donc un compatriote, c'était comme la famille...

Je l'ai invité à venir manger chez nous avec Kader le soir de Noël pour pas qu'ils restent tout seuls chez eux.

J'avais besoin de quelqu'un moi aussi, avec qui je pouvais parler du pays,

... et on a échangé nos numéros de portable.

Après, la soirée a continué, mais lui il est resté toujours tout seul.

Monsieur Robert :

On habitait sur le même palier.
Ah, vous voilà.

Alors il a remplacé mon aide qui était parti un mois en vacances.
Venez, venez...

Il n'avait pas grand-chose à faire, il me tenait compagnie, mais il était dans une situation où il fallait bien qu'il accepte quelque chose.
C'est dingue,
Tu n'y es pour rien, Anna...

Il venait tous les soirs et il partait le matin.
À ce soir.

Il passait la nuit dans la cuisine, il mettait un drap par terre.
Bonne nuit.

À la fin du mois, il n'a pas vu un centime, il a tout de même eu à manger pendant ce temps-là !

Le major:

Notre cheval de bataille c'est d'aller chercher les cambrioleurs, les mecs qui font des vols, qui crament des voitures.

Après, les étrangers en situation irrégulière, on le fait parce que ça fait partie de notre métier, mais c'est pas ça qui nous fait bander, si on peut dire.

On a été le chercher au petit matin, alors qu'il était encore en pyjama.

Une plainte avait été déposée contre lui.

Bonjour monsieur, c'est la police...

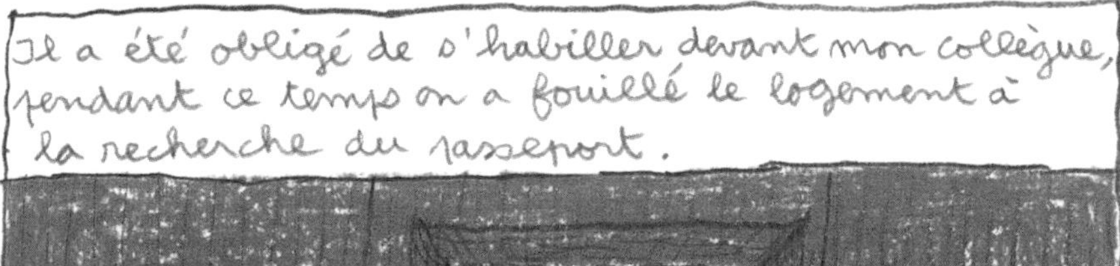
Il a été obligé de s'habiller devant mon collègue,
pendant ce temps on a fouillé le logement à
la recherche du passeport.

?!

On fait attention quand même que ça aille vite parce qu'on n'a pas envie de récupérer quatre ou cinq mecs...

Vous avez les papiers, les gars ?

J'ai vu ça des fois, vous allez chercher quelqu'un, et puis vous avez 5, 6 familles qui débarquent, pour le coup, ça risque de partir en bagarre pour une connerie.

Et nous, on n'est pas là pour reculer, on est là pour exécuter une mission, et on essaie de le faire dans les règles de l'art...

Bon voilà, j'vais pas non plus baisser mon froc!
Je lui ai passé les menottes,

... et on s'est vite barrés avant que les voisins
ne sortent de chez eux.

Christine:

Je les ai croisés à la sortie de l'immeuble. C'est à ce moment que je me suis rendue compte que mon voisin avait des menottes.

Je pensais que ce n'était que pour les bandits ou dans les films américains !

J'ai voulu prévenir quelqu'un de sa famille.
S'il vous plaît...

Je savais qu'il était en situation irrégulière.
Rentrez chez vous, madame.

Il fallait que je fasse quelque chose.
?!
Il n'a rien fait de mal !

Le policier a cherché à me rassurer.
Madame...

...on va juste l'escorter au commissariat,

On fait juste notre travail, on ne va rien lui faire, il va passer devant le juge et si son dossier est bon on le relâchera,

... et si vraiment c'est pas bon, on le renverra dans son pays, c'est comme ça, madame, c'est la loi.

Allez, démarre !

Au commissariat !

Bernard:

Heureusement que mon portable n'était pas éteint lorsque Christine m'a appelé.

TIP
TIP
TIP
TIP
TIP

?!

Il fallait agir très vite avant que son voisin ne disparaisse,

Allô ?...

la situation était urgente.

Qui ?
Comment ?

Du coup, malgré l'heure matinale j'ai appelé Susie sur son portable.

Allô, Susie ?

Susie:

J'étais dans les hauts quartiers quand Bernard m'a appelée.

Je me suis rendue au commissariat, je voulais savoir si on pouvait avoir des nouvelles ou savoir s'il était déjà au centre de rétention...

Ça ne me plaisait guère d'être seule face à cette situation.

J'avoue que je ne me sentais pas très bien.

Quand je me suis présentée, j'ai dit que j'étais membre du Réseau.
Je viens prendre des nouvelles d'une personne qui a été arrêtée ce matin...

La femme du guichet m'a rétorqué que je n'étais pas membre de sa famille et que je n'avais pas d'info à demander ni à recevoir.
Cette personne n'a aucune famille sur le territoire donc c'est sûr que personne ne va prendre de ses nouvelles...

c'est quand même gênant...
...donc c'est à nous qui les accompagnons de nous renseigner.

Elle m'a regardée droit dans les yeux.
Mais enfin, madame, vous n'avez aucune légitimité.

On ne peut vous donner aucune information.

Je ne suis pas sortie tout de suite.

Heureusement, car à ma grande surprise la femme du guichet m'a fait un petit signe,
?
puis elle a déchiré un bout de papier,
... sur lequel elle a griffonné quelque chose...
?
Elle a chiffonné le bout de papier dans sa main et très discrètement, en regardant autour d'elle, un peu durement et sèchement elle me l'a donné en ouvrant à peine la bouche.
C'est une piste pour vous, n'en faites part à personne.
!

Je l'ai remerciée en ouvrant à peine la bouche moi aussi... j'étais un peu interloquée de ce geste de dernière minute.

Sur le bout de papier il y avait juste un numéro de téléphone. J'ai appelé et j'ai eu un enquêteur du commissariat qui m'a donné des infos.

Kader:

Il est sorti du centre de rétention grâce à l'avocat contacté par le Réseau. Il y avait un défaut, je ne sais plus le terme exact... un défaut de procédure, je crois...

Il ne se remettait toujours pas de ce qui lui était arrivé.

Il ne dormait plus depuis 48 heures, il pleurait sans arrêt.

Il était perdu, démoralisé, il n'était pas prêt à ça, le rêve s'était transformé en cauchemar, il ne parvenait plus à dormir... Je lui ai dit qu'il ne fallait pas qu'il retourne chez lui parce que la police allait revenir le chercher.

Le client du magasin :

Un jour où j'étais dans un grand magasin, l'alarme a sonné.
?!

Sur le coup, j'ai voulu savoir ce que c'était,
?

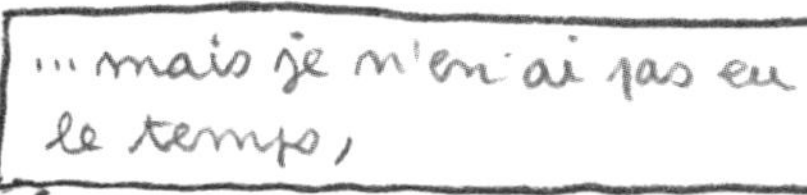

... mais je n'en ai pas eu le temps,
MONSIEUR ! MONSIEUR !

!!

... parce que les vigiles se sont précipités directement sur lui.
ATTENTION !
MONSIEUR ! MONSIEUR !
?

Il avait l'air affolé.
VOUS AVEZ LA FACTURE ?

Sur le coup, je n'ai pas compris.
NE BOUGEZ PAS !

Mais en fait, c'était sa tête ! C'était juste sa tête qui leur revenait pas !

Je suis sorti du magasin accablé.

La corneille:

Le jour où je l'ai revu, j'étais posée sur une poubelle à l'affût d'un moment calme pour picorer les restes d'un repas.

Quelle ne fut pas ma surprise de le voir arriver,

... et de le voir lui aussi chercher des restes dans les détritus.

Je l'ai laissé se servir, on a le sens de la solidarité entre démunis.

Et une nouvelle fois, je l'ai suivi.

Il s'est dirigé vers les bois, derrière les grands magasins,

... à la sortie de la ville, dans ce qu'on appelle la JUNGLE.
J'ai découvert qu'il avait rejoint un groupe d'étranges,
qui avaient bâti leur camp à l'abri de quelques arbres.

À un certain moment,
je me suis demandé
si ce groupe d'étranges

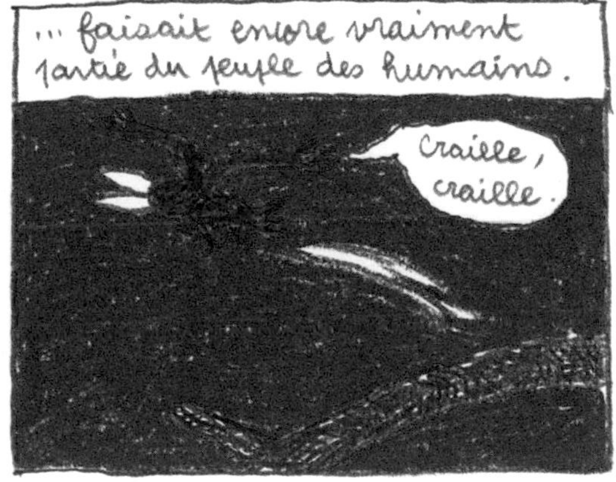
... faisait encore vraiment
partie du peuple des humains.
Craille,
craille.

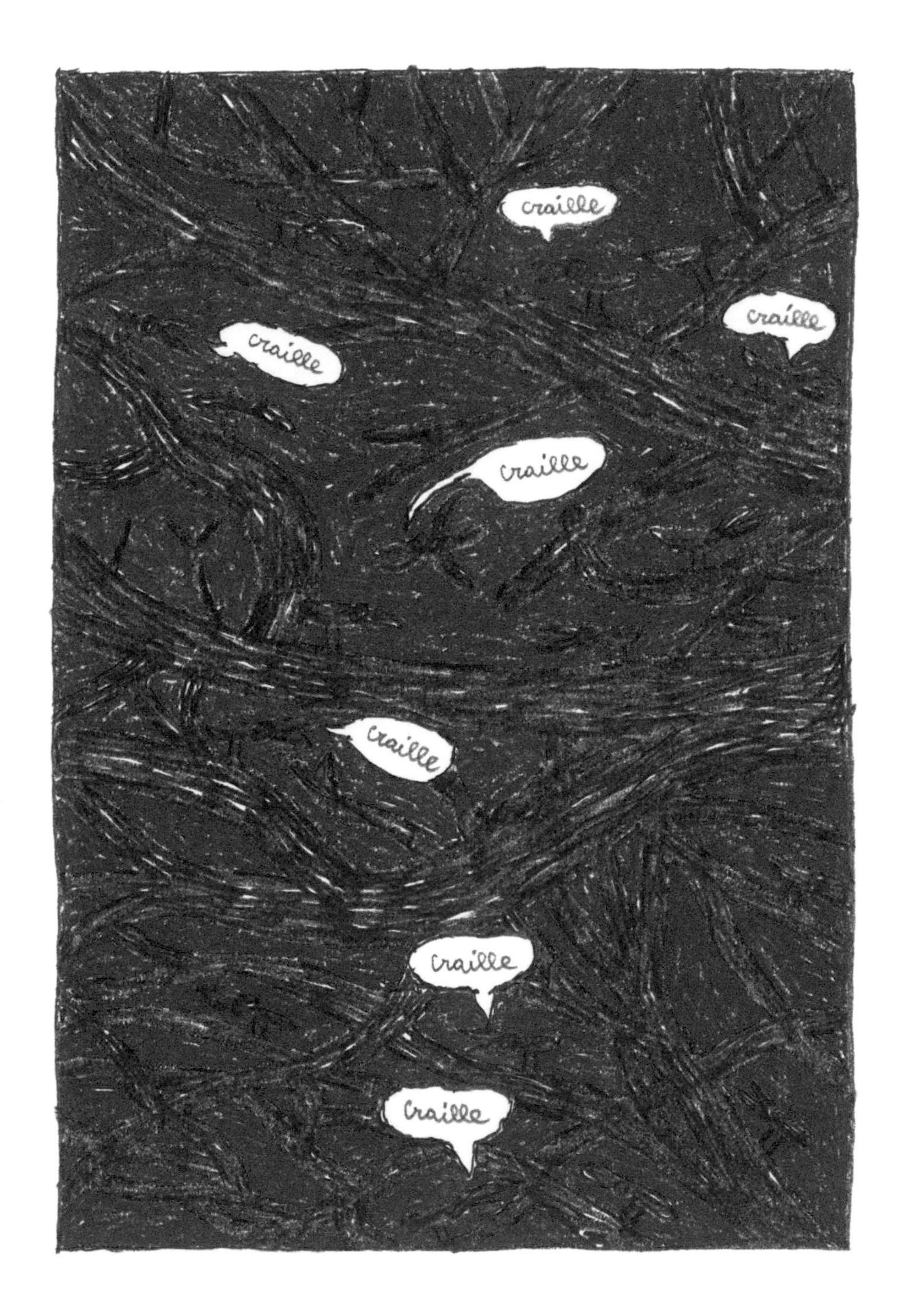
craille
craille
craille
craille
craille
craille
craille

Le patriarche:

Mon nom c'est Yon, mais tout le monde m'appelle le patriarche.

Il y a dix ans, je suis venu ici et j'ai dit : "Ici, c'est MA ville".

... puis j'ai fait venir mes enfants, mes neveux, mes nièces ... et voilà.

Lui, il est venu se réfugier dans le camp parce qu'il voulait se protéger de la rue,

et comme pour ma famille que j'ai mise là, il me devait 5 pièces par jour,

... mais il est très vite tombé malade.

Cornélia:

Depuis son arrivée, son état m'inquiétait, on l'aurait dit frappé d'un mauvais sort.

Au moindre geste qu'il faisait – se laver, parler, bouger, même aller aux toilettes ...

... je ne sais pas ce qu'il avait, il ressentait comme un courant électrique qui lui traversait le corps, ffft, et qui lui prenait toute sa tête.

Ça le prenait cinq à six fois par jour,

...il s'allongeait, se relevait, ça ne passait pas...

Et après, il vomissait pendant deux heures...
!

La nuit venue, il y avait dans le camp une majorité d'hommes âgés qui buvaient beaucoup trop.

C'était leur façon d'échapper, le temps d'un soir, à la misère...

Et une nuit...

ils se sont occupés de lui.

J'ai voulu le mettre à l'abri de ce qu'il vivait ici, alors j'ai appelé cette dame du Réseau.
Bonsoir, c'est Cornélia...

Je voudrais parler à Catherine, s'il vous plaît...

<<Vous en avez assez de cette bande de racailles?
Eh bien on va vous en débarrasser !>>

Catherine:

Jamais j'aurais pensé il y a trois ans que je me serais autant impliquée dans une action militante comme le Réseau. Je me voyais plutôt dans le domaine associatif plus plan-plan, avec moins de prise de risque. C'est vrai, c'est un militantisme un peu particulier... quand tu as les RG, on dit les informations générales maintenant, au téléphone, t'es pas sereine.

Catherine, téléphone pour toi...
... c'est Cornélia, du camp.
?

Cornélia m'a demandé si on pouvait l'accueillir d'urgence.
Euh... d'accord... juste une nuit...
Quand il est arrivé, il était assez mal en point.
Euh... bonsoir.

Il a pris une douche, s'est rasé et a mangé un plat chaud...
crunch crunch

... puis je l'ai installé dans la chambre d'ami.

Et ça s'est fait comme ça. Jamais auparavant, avec René, on n'avait hébergé quelqu'un, mais on a décidé qu'à partir de cette nuit-là, il pourrait rester à la maison le temps nécessaire pour qu'il se retape.

Il ne parlait pas notre langue.

Il vivait caché depuis son arrivée,

... il ne sortait de chez lui que pour travailler. De fait, il rencontrait peu de gens d'ici et ne s'exprimait que dans sa langue.

Un soir, je l'ai trouvé pareil à mon grand-père de 80 ans, aussi vieux, aussi rabougri.

Je crois qu'il n'avait plus la force physique, qu'il était trop fatigué par sa vie... il posait ses mains comme un animal sauvage.

Même en prenant des comprimés, il n'arrivait pas à dormir...

Son état me faisait peur...

Pour l'aider à se détendre j'avais trouvé un disque.
Mmmm...

C'était une chanteuse de son pays, elle chantait doucement, très doucement.

?
Écoutez.

Il se concentrait pour l'écouter...

!

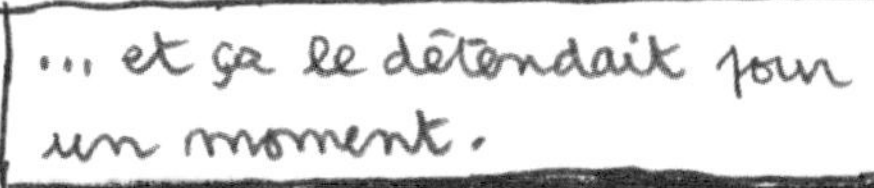

... et ça le détendait pour un moment.

Alors on a vécu comme ça un certain temps, tant bien que mal, en essayant de se comprendre sans parler la même langue.

On l'a aidé à sortir de sa situation de sans-papier. Il n'avait plus de passeport mais il y a toujours un contact là-bas, une personne dont ils ont le numéro.

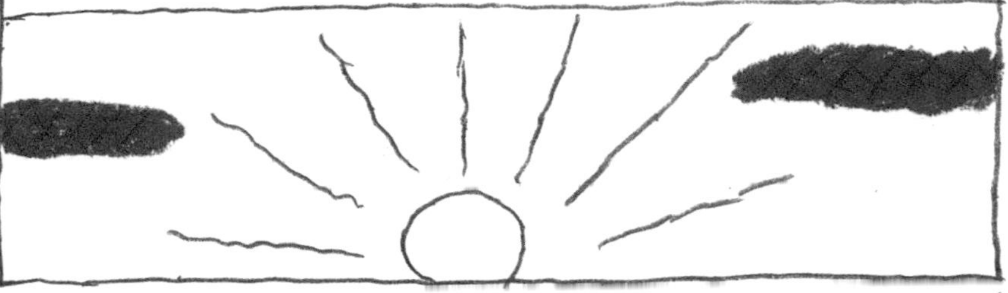

Donc il a appelé sa femme, au pays, qui a pris contact avec quelqu'un qui connaissait quelqu'un à l'ambassade qui pouvait éventuellement faire un nouveau passeport.

Après, on a juste envoyé une photo avec la somme demandée.

Puis on a reçu un coup de fil pour aller chercher le nouveau passeport à la gare. C'est un passeur qui nous l'a apporté. Le gars, il restait là 24 heures, pas plus... après seulement on a pu faire les démarches de titre de séjour avec le collectif, parce qu'on avait des papiers en règle !
C'est complètement aberrant !

La corneille :

Chez nous, la mémoire et un prodigieux sens de l'observation vont de pair, je l'avais donc vite retrouvé.

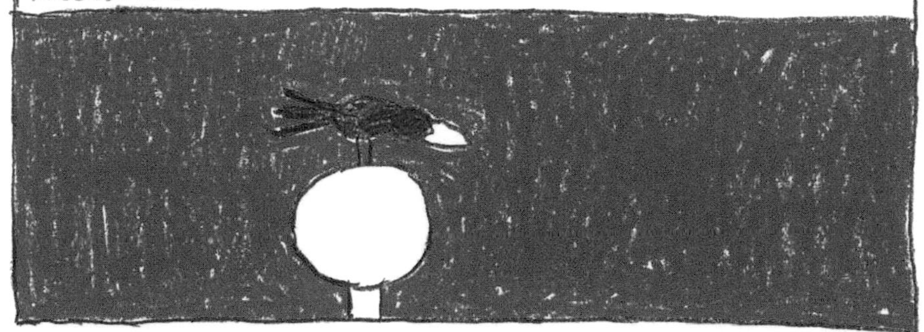

Je ne pensais pas qu'il se rétablirait si vite, mais au bout de quelques mois il s'était refait une santé.

Un soir, alors qu'il parlait au téléphone, il a soudain passé le combiné à la dame qui était dans la cuisine, à côté de lui.

Elle était gênée parce que visiblement, elle ne comprenait absolument rien...

Devant sa gêne, il s'est mis à rire.
C'était la première fois que je le voyais faire une blague.

Et je me suis envolée, heureuse, dans un grand croassement et un vaste battement d'ailes.

La femme de ménage:

Je garde un très mauvais souvenir de son séjour ici.
Grmm...

Ça fait vingt ans que je fais le ménage chez monsieur et madame René.

Par contre, ne leur en déplaise, je ne lui ai jamais dit bonjour.
TOC
TOC
TOC

Je ne pouvais plus supporter de le voir tous les matins à traînasser là-haut au lieu d'aller chercher du travail.
Grmm...

Le pire pour moi c'était de nettoyer sa chambre et de changer ses draps !

Je suis une étrange comme lui, mais moi ça fait trente ans que je suis arrivée ici et ça fait trente ans que je bosse comme une dingue !

Et lui, qui est-il pour être soutenu par eux tous ? C'est parce qu'il est sans le sou, ou parce qu'il est seul ?... Mon fils a voulu partir ailleurs lui aussi, il a dû présenter des papiers, avoir un compte en banque, il y a une injustice !

Mais il a fini tout de même par partir de chez monsieur et madame René au bout de trois ans. Il a fait venir, par des passeurs, sa femme et sa fille. Il a cherché enfin un contrat de travail et il a trouvé un employeur prêt à l'embaucher. Il était temps, parce que moi, je n'en pouvait vraiment plus !

Sa femme:

* Les retrouvailles du couple n'ont pas été si simples… quand il est parti notre fille avait un an, quand on s'est retrouvés elle en avait cinq !

* À partir de là, on n'a eu qu'un souhait, celui de construire ici un avenir meilleur à notre fille. Depuis, avec l'aide du Réseau, on n'a cessé de faire les démarches nécessaires à notre régularisation.

À demain, Jade.
À demain, maîtresse.

* Scolarisée depuis cinq ans, notre fille s'est admirablement intégrée. Les enseignants de son école sont satisfaits de ses résultats, et elle maîtrise parfaitement la langue.

*Mais on a reçu une réponse négative à notre demande de titre de séjour et on nous a demandé de quitter le territoire.

*On a fait appel de cette décision, et depuis, notre dossier est en attente en préfecture. Certains dossiers ont mis neuf mois pour être étudiés... Tant qu'il restait en ville, on pensait qu'il ne pouvait rien arriver à mon mari.

« C'est illusoire de penser qu'on règle le problème des populations étranges à travers uniquement l'insertion. Ces populations ont des modes de vie extrêmement différents des nôtres. Donc cela veut dire que les étranges ont vocation à revenir dans leur pays. »

* J'ai bien vu dans mon rêve, franchement, je ne peux pas l'expliquer, dans mes rêves, je vois tout.

* J'ai vu deux personnes arriver en tenue civile, ils étaient cravatés.

* Il y en avait un qui tenait les papiers dans la main, je les avais bien vus, les policiers, ils étaient venus me chercher sur mon lieu de travail.

* Après, je ne sais pas... j'ai rêvé qu'ils m'emmenaient jusqu'à l'avion.

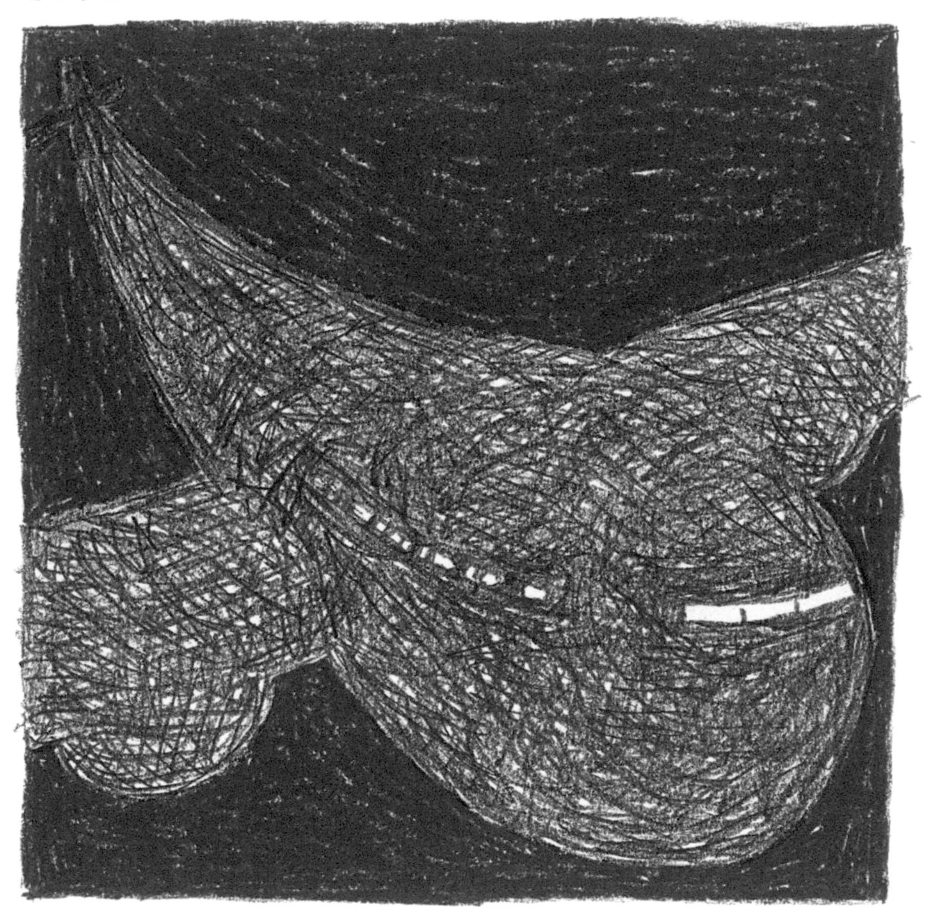

* J'ai vu l'avion...

* J'ai vu que j'étais dans la merde,

* ... vraiment dans la merde.

Épilogue :

Le jeudi 19 avril, onze policiers de la police des Airs et des Frontières ont débarqué dans le restaurant l'« Étrange Palace » et ont interpellé un simple cuisinier. Il a été placé en centre de rétention pour une reconduite à la frontière.

Rien n'a pu faire fléchir le préfet, ni les manifestations quotidiennes devant la mairie avec l'appui du maire, ni le rassemblement devant la préfecture, ni la promesse d'embauche d'un employeur figurant dans le dossier de demande de régularisation par le travail.

Trente jours plus tard, les autorités l'ont mis dans un avion en partance pour le pays qu'il avait quitté 9 ans auparavant, le séparant une nouvelle fois inexorablement de sa femme et de sa fille qui se terraient toujours quelque part dans la ville.

FIN

Lorsqu'en 2011, je travaillais sur ma précédente bande dessinée traitant du sujet des personnes issues de l'immigration comme boucs émissaires, le contexte politique du moment déplaça le « problème de l'immigration » vers les sans-papiers, puis vers les roms.

Avec l'aide de Betty, une amie marraine républicaine et membre du réseau d'éducation sans frontières (RESF), je me suis mis en quête de témoignages de personnes sans-papiers, de leurs familles, mais également de policiers et de nombreuses personnes ayant une proximité avec le sujet.

Parmi toute cette collecte, j'ai choisi, mêlé, entremêlé, tricoté toutes ces histoires afin de donner naissance à cette fiction.

MERCI À :

Monsieur et Madame T.   Monsieur N.   Jean-Marie

Nadège   Martine   Mamadi

Éric   Christian   Catherine et René

Le major   Isabelle   Fabrice

Le réseau RESF de Voiron.

Marcelle, Théo et Pierre
pour le travail de relecture.

ET TOUT PARTICULIÈREMENT À :

Betty
pour son soutien indéfectible.

Et toujours,
Isa pour son éternelle patience !

LES CITATIONS SONT DE :

Nicolas Sarkozy : p 21, p 33-34 (radio), p 43, p 65, p 119

ET DE :

Manuel Valls : p 137

« La tolérance, ça veut dire quoi, la tolérance ?
Moi, je suis extrêmement tolérante. Vous l'êtes
vous-même. Est-ce que ça veut dire que vous
accepteriez que douze clandestins s'installent
dans votre salon ? Et en plus qu'ils changent
le papier peint ? Et que même pour certains
d'entre eux, ils volent votre portefeuille et
brutalisent votre femme ? »

Marine Le Pen

L'Étrange sonore

L'association du son et de l'image est à mes yeux terriblement excitante. À travers certaines citations d'hommes politiques, j'ai moi-même voulu plonger le lecteur dans la «couleur sonore» de l'époque où se déroule l'histoire.
En prolongement de l'album, l'artiste Ève Grimbert a accepté de réaliser une création sonore de cette histoire moderne et tordue. On peut l'écouter sur son site web (moineauphonique.org) et sur celui de l'Agrume (lagrume.org). Entre la lecture et l'écoute, se crée un espace infiniment riche, fragile et ténu où l'histoire, sans cesse, se construit et se déconstruit.

Bonne écoute, que l'Étrange-sonore commence !

Jérôme Ruillier

Le mot d'Amnesty

Où se situe cette histoire ? Quel est cet étrange personnage dont on suit ici le parcours ? Qui sont les autres dont il croise la route ?

La lecture de cet album peut, de prime abord, soulever de telles questions, tant les repères de temps, de lieu ou certains autres détails semblent manquer. Et pourtant, ce récit – puisque c'en est un, chronologique, précis et au final très documenté – nous plonge dans une réflexion puissante.
Et c'est sans doute là sa force : exposer une situation sans pour autant chercher à l'ancrer dans une réalité trop précise pour lui conférer d'emblée une portée universelle. Les traces et les échos à des situations et des réalités vues, lues ou vécues existent. Mais il faut accepter de ne pas chercher à trop raccrocher ce récit à une réalité dont il s'est cependant indéniablement inspiré. Il faut se laisser porter par la puissance et la simplicité d'une narration qui expose, sans détour, ce qu'être exilé provoque et convoque. L'exil, c'est de fait une expérience concrète et tangible qui prend des formes et des modalités diverses, mais qui toujours expose celles et ceux qui le vivent à la confrontation à l'autre, à la différence. Quand il est subi, comme c'est le cas pour de nombreux réfugiés et migrants dans le monde, l'exil dialogue souvent avec une mise en danger et une menace pour leurs droits, à commencer par celui de vivre alors que souvent ils ne partent que pour fuir des menaces ou des violences.

La succession des personnages est une des forces de cet album. Elle évite de céder à un point de vue univoque et permet au lecteur de comprendre la pluralité des perceptions sur ce qui se passe et ce qui arrive à ce personnage déraciné, exilé et réfugié, dont on ne saura jamais ni le nom ni l'origine.
Au fil des pages, se dessine l'idée que nous pourrions tous être l'un ou l'autre de ces personnages. Cette pluralité nous oblige à prendre conscience que ce qui arrive n'est pas seulement le sort d'un autre – cet étrange –, mais qu'il peut être celui de chacun d'entre nous.

En creux, une ligne de force s'impose, celle d'une profonde humanité. Parce que ces pages exposent précisément que ne pas accepter que certains soient privés de leur dignité et de leurs droits fondamentaux est à la portée de tous. Bernard, Christine ou Susie ne sont ni des héros, ni n'agissent de manière exceptionnelle. Ce sont juste des hommes et des femmes qui très simplement, très humainement décident que renoncer à se mobiliser ou se battre, c'est renoncer à ce principe d'humanité qui établit que chacun d'entre nous a droit au respect de droits essentiels. En cela cet album est une subtile invitation à considérer que nous avons tous et chacun un rôle à jouer pour que ce monde ne devienne pas un monde de stricte indifférence. C'est le pari que font celles et ceux qui s'engagent auprès d'Amnesty International.

Amnesty International – Novembre 2015

L'auteur a bénéficié pour cet ouvrage d'une bourse
d'écriture de la Région et de la Drac Rhône-Alpes.

L'étrange

Conception graphique : Léa Chevrier

ISBN : 979-10-90743-42-7
Dépôt légal : mars 2016
Imprimé en Lettonie

L'Agrume
102, rue Saint-Maur / 75011 Paris
Tél. : 01 43 38 60 42
www.lagrume.org